Dw i'n da

Y GWALCH DRWG!

GWENFRON HUGHES

Lluniau gan Maggy a Stewart Roberts

Argraffiad cyntaf – 2004

ISBN 1 84323 408 4

ⓑ Gwenfron Hughes 2004 ©

Argraffwyd yng Nghymru gan
Wasg Gomer, Llandysul, Ceredigion

Dyma Tomi.

Deinosor direidus ydy Tomi.

Mae o'n hoffi chwarae triciau
ar ei ffrindiau.

Mae o'n ddireidus heddiw.

Dyma Deio.
Mae o'n cysgu.
Mae Tomi'n clymu cwlwm
yn ei gynffon.
Hi, hi, hi, ha, ha, ha.

Mae Deio'n deffro.

Mae cwlwm yn ei gynffon.

Mae Deio'n crio, crio, crio.

Deio druan.

Hen walch drwg wyt ti, Tomi.

Dyma Llinos.
Mae balŵn ganddi.
Mae Tomi'n byrstio'r balŵn.
Hi, hi, hi, ha, ha, ha.

Mae Llinos yn drist.

Mae ei balŵn wedi byrstio.

Mae Llinos yn crio, crio, crio.

Llinos druan.

Hen walch drwg wyt ti, Tomi.

Dyma Ffion.
Mae jeli ganddi.
Mae Tomi'n bwyta'r jeli.
Hi, hi, hi, ha, ha, ha.

Mae Ffion yn drist.

Does dim jeli ar ôl.

Mae Ffion yn crio, crio, crio.

Ffion druan.

Hen walch drwg wyt ti, Tomi.

Dyma Deio.

Mae o wedi colli ei bêl.

Mae Tomi wedi cuddio'r bêl.

Hi, hi, hi, ha, ha, ha.

Mae Deio'n drist.

Fedr o ddim ffeindio'r bêl.

Mae Deio'n crio, crio, crio.

Deio druan.

Hen walch drwg wyt ti, Tomi.

Dyma Llinos.
Mae hi'n cysgu.
Mae Tomi'n peintio
smotiau glas arni.
Hi, hi, hi, ha, ha, ha.

Mae Llinos yn deffro.

Mae smotiau glas arni.

Mae Llinos yn crio, crio, crio.

Hen walch drwg wyt ti, Tomi.

Dyma Ffion.

Mae hi'n tynnu llun.

Mae Tomi'n sgriblo ar ei llun.

Hi, hi, hi, ha, ha, ha.

Mae Ffion yn drist.

Mae sgribl ar ei llun.

Mae Ffion yn crio, crio, crio.

Hen walch drwg wyt ti, Tomi.

Paid, Tomi.

Paid â chwarae triciau creulon.

Mae Tomi'n difaru.

Mae'n ddrwg gen i.

Mae'n ddrwg gen i.